JN072690

自閉症うーちゃんの
カラフルサイン

高機能自閉症当事者が描く十人十色の世界

文・新藤あみ

絵・田村優佳

創造出版

もくじ

うさぎのうーちゃん 1

あかいおはなだいすき

うさぎのうーちゃんは、いつもおへやにおいてある、あかい
おはながだいすきです。

「このおはなをみていると、とてもおちつくわ」

あるひ、うーちゃんがおへやをみると、
あかいおはながきえていました。

そしてかわりにあったのは、きいろいおはなでした。

うーちゃんは、あかいおはなをみているのがすきでした。

あかいおはなをじぶんのいちぶのようにかんじていた
うーちゃんは、
すごくかなしくて、つらくて、くるしくなって。

おおごえでないて、あばれだしてしまいました。

まわりのひとは、なぜうーちゃんがないているのか
わかりませんから、
「うるさい」だとか、「しずかにして」だとか、「なくな」と
いいました。

でもうーちゃんは、おおごえでないてあばれることを
やめませんでした。

いいえ。やめられなかったのです。

7

うーちゃんの「こころ」は、「かなしい」「つらい」「くるしい」
といううきもちでいっぱい。
だけどうまくいえなくて、
ずーっと、ないてあばれることしかできませんでした。

そこへせんせいがやってきて、こういいました。
「うーちゃん、どうしてないているの？」

うーちゃんはなきながら、
「あかいおはながなかったの」
とこたえました。

9

せんせいは、
「そしたらうーちゃん、いっしょに
おいしいジュースのもうよ」
といいました。

うーちゃんが、
「なんのジュース?」
ときくと、せんせいは
「りんごのジュースだよ、さっきうーちゃんのおかあさんに
もらったの」
とこたえてくれました。

うーちゃんとせんせいは、おいしいりんごのジュースを
のんで、しあわせなきもちになりました。

おしまい

うさぎのうーちゃんは、赤いお花が大好きで、赤いお花を見ていると落ち着くみたいでした。

でも、その赤いお花がなかったから、泣いて暴れてしまった。

これは、自閉症スペクトラム障害などで自閉傾向のある方に、頻繁にみられる特徴の「こだわり」をテーマにしたものです。

例えば、まるいつみきでいつも遊んでいた子に、しかくいつみきで遊んでもらおうとしたら、泣いて暴れて、パニックや癇癪を起こしてしまったり。

「いつもと違う」ことに、敏感に不安や恐怖を感じてしまうこと。それを「こだわり」といいます。

赤いお花がない、と気づいたときに、うーちゃんは言葉にできない感情を抱いたのだと思います。

うーちゃんも言葉にできませんでしたが、お話の中にあった、「かなしい」「つらい」「くるしい」という言葉だとか、「不安だ」「怖い」という言葉をパニックの最中に伝えるのは、とても難しいことだと感じます。

では、なぜ先生はうーちゃんを落ち着かせることができたのか。

それは先生が、「こわいこと」をしなかったからだと、私は思います。

不安を感じているときに、想定外のことが起こると、人は誰でも恐怖を抱きます。

うーちゃんはそのとき、とても不安で、怖かったのです。

だけど、先生はうーちゃんを否定することなく、優しく声をかけ、自然に興味をそらしました。

それが、うーちゃんが落ち着いた大きな要因だと思います。

もちろん、発達障害の症状は人それぞれで、百人いれば百通りの個性があります。

だから必ずしも、皆が皆この方法で落ち着くわけではありません。

なので、「こういう人がいるんだな」と。

「うーちゃんみたいな人もいるかもしれないな」というスタンスでこのお話を受け取っていただけると嬉しいです。

11

ナマケモノのなっちゃん 1

ゆっくりおはなし

ナマケモノのなっちゃんは、おしゃべりがにがてです。

なっちゃんとおしゃべりしようとするひとは、みんな
ことばがすぐにでてきて、おしゃべりするのがはやいです。

でもなっちゃんは、とってもゆっくり。

ゆっくりかんがえて、ゆっくりおはなしします。

おともだちは、
「なっちゃんはことばがおそい」
「なんでそんなにゆっくりなの」
「ぼくのはなし、ちゃんときいていないの」
といいます。

だけどなっちゃんは、ゆっくりではないおはなしが
できません。
ちゃんとおともだちのはなしをきいていても、なにをいって
いるかわかるのがゆっくりなのでした。

なっちゃんは、
「どうしてみんなおしゃべりがはやいんだろう。
どうしてわたしはゆっくりしかはなせないんだろう」
と、これまたゆっくりかんがえていました。

あるひ、なっちゃんとおともだちがキャッチボールしていた
とき。

おともだちは、うけとったボールを、すぐになっちゃんのほ
うになげかえします。

でもなっちゃんは、ボールをうけとってからもういちど、
そのボールをもって、なげかたをかんがえてからじゃないと
なげられません。

「なっちゃんはおそくてつまらない。もういいや」
とおともだちにいわれてしまったなっちゃんは、ぽろぽろと
なみだをこぼしました。

そこへせんせいがやってきて、こういいました。
「なっちゃんは、ゆっくりでいいんだよ」

なっちゃんは、ゆっくりせんせいにおへんじしました。
「ゆっくりじゃだめなの。つまらないの」
と。

せんせいは、なっちゃんのあたまをなでて、

「つまらなくないよ。せんせいは、なっちゃんとおはなしするのすきだよ」

「ゆっくりなせいで、なっちゃんはいやなことがあったかもしれないけど、ゆっくりなのはなっちゃんのいいところでもあるの」

「もしわからないことがあったら、

『もういっかい、いってほしい』ってつたえること。

きっと、ゆっくりななっちゃんをわかってくれて、

なかよくしてくれるおともだちがいるよ」

と、ゆっくり、しっかりとつたえてくれました。

なっちゃんは、ゆっくりと
「せんせい、ありがとう」
といってわらいました。

するとせんせいが、
「じゃあ、いっしょにゼリーたべましょう。せんせい、なっちゃ
んとゆっくりおはなししながらゆっくりたべたいな」
とわらいかえしてくれたので、なっちゃんとせんせいは、ゆっ
くりあるきだしました。

おしまい

なっちゃんのゆっくりなお喋りを表すため、お話の中にキャッチ
ボールのシーンが出てきました。

これは、「会話のキャッチボール」をイメージしています。

定型発達の方が言葉のボールをぽんぽん投げ合えるのに対して、自
閉傾向のある方の多くは、受け取った言葉を一度自分の頭でかみ砕
かなくては次のボールが投げられません。

普通に会話のキャッチボールをしているように見えても、前後の文
を理解できていなかったり、しっかりした返答ができなかったりし
て、どこか不自然な会話になってしまうことも少なくありません。

そんなとき当事者の方は、「ゆっくり話してくれると嬉しい」だと
か、「もう一度言ってほしい」と、あまり恥ずかしがらず、怖がらず、
きちんと伝えることが重要です。

当事者と話す相手の方は、急かさず、ゆっくり、丁寧に伝えること
が重要だと思っています。

百人いれば百通りの個性がある発達障害。

なっちゃんのような人もいるのだな、と、受け取っていただければ
嬉しいです。

チーターのちーくん1

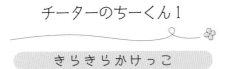

きらきらかけっこ

チーターのちーくんは、とってもげんきなこです。

はしるのがだいすきで、
かけっこではいつもいちばんはやいのでした。

あるひちーくんは、おべんきょうをしているじかんに、
とてもはしりたくなってしまいました。

だけどいまは、おべんきょうをしなければならないじかん
ですから、ちーくんはいすにすわって、えんぴつをにぎります。

でもまたすぐに、ちーくんははしりたくてしかたなくなって、
からだがうずうずしてしまい、じっとしていられなくなって
しまいました。

あしをばたばたしたり、うわばきをぬいだりはいたり、
てあそびをしたり。

そんなちーくんを、まわりのおともだちはふしぎそうに
みつめてきます。

みられているのにきがついたちーくんは、
「じっとしなきゃ」
とおもってがんばりますが、からだはうごきつづけます。

だれかに「はしりたい」とつたえたくても、
はしりたいりゆうの、からだがうずうずしてしまうという
ことを、ちーくんはうまくことばにできませんでした。

すると、となりのせきにいたナマケモノのなっちゃんが
せんせいに、
「せんせい。ちーくんね、はしりたいみたいなの」
と、ゆっくりしたことばでいいました。

せんせいは、
「そっか、せんせいきづかなくてごめんね。ちーくん、いま
から 10 ぷんだけ、はしっておいで。10 ぷんはしったら、
またせんせいといっしょにおべんきょうしましょ？」
といいました。

ちーくんは、
「うんっ！」
といって、はしりにいくことができました。

せんせいがなっちゃんに、
「ありがとう、おしえてくれて」
というと、なっちゃんはゆっくりかんがえて、
「だってね、はしってるときのちーくん、
すごくかっこいいでしょ?」
といいました。

まどからみえたちーくんは、とてもたのしそうに、
とてもかっこいいすがたで、はしっていました。

おしまい

走ることが大好きなちーくん、とても輝いているように見えました。
ですが、お勉強の時間に、足をパタパタしたり、上履きを脱いだり
履いたり、手遊びをしてしまっていました。

ちーくんは遊んでいたわけでも、不真面目だったわけでもありません。
「動きたい」と、身体がうずうずしてしまっていたから、そのよう
な行動を取っていたのです。

これは発達障害のうち、ADHDの多動傾向のある方に多く見られ
る行動です。

その行動をやめなさいと叱られてしまうことも多くありますが、こ
れは不真面目なのではなくて、脳の特性によるものです。

わかりやすく言えば、簡単には治らないので、叱って治るものでも、
叱って止められるものでもないのです。

だったらどうしたら良いのか。

ちーくんのように、10分間だけ走ってもらってみるのも、有効で
ある場合は多いと思います。

当事者の目線になって、数分間でいいので、気を抜いて体を動かせ
る時間を一緒に過すことを、私はお勧めします。

百人いれば百通りの個性・特性がありますが、その分、一人ひとり
の輝き方もあると、私は思います。

幕間1 〜おはな〜

おはながさいて

おはながちって

きみとであって

ぼくはわらって

きみのなみだが

かがやくりゆうは

きっときみが

いきているから

たまにわらって

たまにないたり

おはなをかざって

おみずをあげて

きみといっしょに

いきていたいの

うさぎのうーちゃん2

やさしいおみみ

うさぎのうーちゃんは、おうたがだいすきで、
うたうのがとってもじょうずです。

とてもきれいなこえでうたうことができます。

あるひ、うーちゃんがおうたをきこうとみみをすませると、
きかいのおとがきこえました。

ぴー。ぎぎぎ。ごー。

うーちゃんはおみみをおさえました。

うーちゃんにとって、きかいのだすうるさいおとは、
どうしようもなくこわいものです。

37

「おみみがいたいよう」

うーちゃんはおみみをおさえたまま、おおきなこえで
なきだしてしまいました。

そこへ、うーちゃんのおかあさんがやってきて、
「うーちゃん、どうしたの？」
とたずねます。

うーちゃんは、
「きかいのおとが、うるさくて、こわいの」と
こたえましたが、おかあさんには
そのおとがきこえないようで、
「きかいのおと？」
とふしぎそうにします。

うーちゃんは、
「おかあさんにはきこえないの。でも、うーちゃんにはきこ
えちゃうの」
といいます。

すると おかあさんは、

「うーちゃんの おみみは とっても やさしいのね。どんな
ちいさな なきごえでも きこえちゃうんじゃ ないかしら」

と、やさしく うーちゃんの あたまを なでて あげます。

うーちゃんは、
「それでも、うーちゃんはおみみがいたいのはいやなの」
といいました。

おかあさんはよおくかんがえて、
「じゃあ、おかあさんといっしょにみみあてをかいにいきま
しょう。そうしたら、おみみがいたくなくなるでしょう?」
と、ていあんをしてくれました。

あたらしい、ピンクのみみあてを
かってもらったうーちゃんは、とてもうれしそうです。

うーちゃんはわらいながらこういいました。
「どこかからなきごえがきこえたらおしえてね。うーちゃん
はきこえないけど、たすけにいけないとこまるから」

おしまい

うーちゃんはお耳がとても優しい、とうーちゃんのお母さんは言いました。

これは、発達障害やHSP（人一倍敏感な人）などの方によく見られる、感覚過敏によるものです。

お話に出てきた、聴覚だけでなく、触覚や視覚、味覚などの過敏さを、まとめて感覚過敏と言います。

聴覚が過敏な場合には、イヤーマフや耳栓、ノイズキャンセリング機能の付いたイヤホンなどを利用している方がいたり、感覚過敏の対処法は様々です。

ですが、感覚の過敏さは当事者にしか感じられないもので、周りの支援者が感じ取るのは難しいと思います。

ですから、苦手な感覚があったときに、当事者が周りにそのことを伝えられる環境を作ってほしいな、と、私は思っています。

苦手な感覚は、避けられるものは避けるのが一番です。

慣れることが必要な場合もありますが、それは当事者にも支援者にも大変な作業だと思います。

それぞれ、当事者に合った支援ができることを、私は陰から応援しています。

ナマケモノのなっちゃん2

「あれ」ってなあに

ナマケモノのなっちゃんは、おともだちがだいすきでした。

でもなっちゃんには、こまったことがありました。

おともだちが、「『あれ』がしたい」とか、「『それ』とって」と
いっても、なっちゃんにはよくわからないのです。

「あれ」ってなあに、なんのことだろう。
「それ」ってどれのことだろう。

なっちゃんには、ぜんぜん、わかりませんでした。

あるひのあさ、なっちゃんのおねえさんが、
「なっちゃん、なにかたべたいものある？」
となっちゃんにききました。

なっちゃんは、ゆっくり、かんがえながらいいました。
「なにかたべたいものがあったきがするの。
えっとねえ、あのう……」

なっちゃんのおねえさんは、

はっとなにかをおもいついたみたいです。

「ねえ、なっちゃんのたべたいものって、もしかして『あれ』

じゃない？」

なっちゃんは「あれ」がわかりませんから、こてん、と

くびをかしげます。

「あれだよ、ハンバーグ！」
おねえさんがいうと、なっちゃんは
「ちがうよ、ハンバーガーだよ」
と、わらいながらいいました。

そのひのよるごはんは、
いっしょにハンバーガーをたべました。

おしまい

なっちゃんは、「あれ」や「それ」などのぼんやりとした表現がわからないみたいでした。

ぼんやりとした表現が伝わらなかったり、例え話や皮肉などを理解できなかったり……。

自閉傾向のある方は、よく「空気が読めないひと」と言われがちです。

そうは言っても、その場に合った行動ができないと、困ってしまうことがとてもよくありますよね。

その場に合った行動ができないときは、無理に空気を読もうとすることはないと思います。

これからも長く付き合う上、理解のある相手だったら、「自分は空気を読むのが苦手なんだよね」と、事前に前置きしておくといいと思います。

そうすれば、「あれ」「それ」などの表現が伝わらなくても、「どれのこと？」と聞き返すことがより簡単になると思っています。

空気を読むのが苦手でも、コミュニケーションを取るのが苦手でも、きっと大丈夫です。

理解のある方を、少しずつ頼っていけるといいと思います。

チーターのちーくん2

いっぱいがおがお

チーターのちーくんは、おともだちとかけっこをするのが
だいすきでした。

ちーくんはあさ、がっこうについたらすぐに
おともだちとかけっこをはじめます。

しばらくしたとき、うさぎのうーちゃんがやってきて、
「ちーくん！ もうおべんきょうのじかんだよ！」
とちゅういをしました。

かけっこにむちゅうになっていたちーくんは、
おべんきょうのじかんになっていたことに
きがつかなかったのです。

ですがうーちゃんにちゅういされてしまったちーくんは、
なんだかむかむか、いらいらしてきてしまいました。

「ぼくはまだはしっていたいのに」
「どうしてちゅういされなくちゃならないんだ」
「きがつかなかっただけなのに」
と、ちーくんのなかのむかむかはどんどんおおきくなります。

そしてついに、
「うがーーーっ！ うるさいうるさいうるさいっ！」
と、おおごえでわめきだしてしまいました。

まわりにいたみんなは、ちーくんのことを
「こわい」とおもってにげだしてしまいました。

ですが、おこってわめいているのは、ちーくんのなかの
むかむかといらいらがおさまらないからです。

ちーくんは、むかむかといらいらのにがしかたをしりません。

せんせいは、ちーくんのなかのむかむかといらいらが
おちついてくれるのをまっていました。

むかむかといらいらがおさまったあとのちーくんは、ひとり、
こうかいしていました。

「どうしておこってしまったんだろう」

「どうしておちつけなかったんだろう」

と、かなしくなってしまったちーくんのとなりに、

せんせいがやってきてこうききました。

「ちーくん、なにかいやなことがあったの？」

ちーくんは、よわよわしいこえでこたえました。
「うん、ぼくはかけっこがしていたかったの。
でも、うーちゃんはおべんきょうのじかんだっていったの」

せんせいは、にっこりわらって、
「でもねちーくん、あなたじぶんでおちつけたじゃない。
とってもえらいよ」
と、ちーくんのあたまをなでてあげました。

「ほんとう？ ぼく、えらい？」
と、うれしそうにするちーくん。

じぶんのちからでむかむかといらいらを
おちつけられたちーくんは、
ごほうびにせんせいとじゅっぷんかん、かけっこをしました。

おしまい

チーターのちーくんは、自分の中のむかむかといらいらを落ち着けるのが苦手なようでした。

これは、ADHD傾向のある方の特性にある、癇癪というものです。

自分の思い通りにいかなかったりしたときに、パニックになってむかむかといらいらが爆発してしまう。

それは、自分の意思でどうこうできるものじゃないと思います。

むかむかといらいらをうまく逃がすのは、大きくなって成長しても難しい場合があります。

まず、その子に必要な対処は、「叱らない」「否定しない」ことです。

また同じようなことが起こってしまったときに、フラッシュバックしてしまい、癇癪を起こすことがクセになってしまうかもしれないからです。

一旦、自分の力で落ち着いてもらうこと。そしてそれができたら褒めてあげること。

それを根気強く続けることが大切です。

成長してきたら、その子に合った、いらいらとむかむかの逃がし方を一緒に考えてあげてください。

その子その子に合った対処法が、きっと見つかります。

幕間2 ～おはなし～

そらがはれたら
なにをはなそう
すてきなことばを
きみにつたえよう
きみがだいすきな
けーきをたべて
おいしいはなしを
きみとわらおう
ぼくはぼくとして
いきをするから
きみはきみとして
すごしていてね
きみへのおもいを
あしたつたえよう

あしたつたえたら

まいにちはなそう

だいすきなきみへ

おくることばを

ぼくはなきながら

かきつづる

幕間3「息をする」

この世界で息ができることほど、
難しいことはないと思っています。
この世界に生まれてきたことはきっと、
とんでもない奇跡です。
生まれてきて、息をする。
それだけですごく難しいことだし、
大変なことです。
生きているだけで。
息をしているだけで。
こんなにも偉い。
私は貴方を、沢山褒めてあげたいのです。

うさぎのうーちゃん3

やさしいおようふく

うーちゃんは、おしゃれをするのがだいすきです。

あるひ、うーちゃんはおかあさんといっしょに
おかいものをしにきました。

うーちゃんは、はじめてはいるおみせで、とってもかわいい
ワンピースをみつけました。

「じゃあ、しちゃくしてみようか」

うーちゃんはおかあさんにいわれて、
しちゃくをしてみました。

うーちゃんがワンピースをきているのをみて、
うーちゃんのおかあさんは
「かわいいね、うーちゃん」
といいます。

うーちゃんも、ワンピースがじぶんに
にあっていることがわかりました。

でも、うーちゃんはうかないかおをします。

ワンピースが、ごわごわ、ちくちくして、なんだかきもちが
わるくて、いたいかんじがしていたのです。

「このワンピース、とってもかわいいのに、なんだかとっても、
いやなかんじがする……」
うーちゃんは、こっそりおかあさんにいいました。

「いやなかんじ?」
とおかあさんがきくと、
「この、せなかのところがきもちわるい……なんか、
ちくちくするの」
と、うーちゃんはこたえました。

「じゃあ、いっしょに、いつものおみせにいこっか」
「きっと、うーちゃんがきにいるおようふくがみつかるよ」
おかあさんは、にっこりわらってそういいました。

うーちゃんはとってもうれしそうに、
「うん！」
とおへんじしました。

いつものおみせで、とってもかわいい、
いやなかんじのしないシャツをみつけてかってもらった
うーちゃんは、ルンルンきぶんになったのでした。

うーちゃんは、初めて入るお店のワンピースを着たときに、ごわごわ、ちくちくして、嫌な感じを覚えていました。

これは、発達障害やHSP（人一倍敏感な人）などの方によく見られる、感覚過敏によるものです。

うーちゃんが感じた嫌な感じは、うーちゃんが触覚に敏感であることを表しています。

触覚過敏もその方によって度合いが違いますが、触覚過敏により皮膚が痛くなってマスクができないほど、という方もいらっしゃいます。

洋服の生地に敏感という方も多くいらっしゃいますが、洋服のタグに敏感な方はさらに多いのではないでしょうか。

生地やタグが肌に触れたとき、それによってかゆかったり痛かったり、気持ち悪いと感じる場合は、その洋服を無理して着ようとせず、肌に優しい洋服を着たり、タグを外してしまうのもいいと思います。

我慢することはありません。なるべく楽に過ごせるために、自分に合う「快適」を探してみてはいかがでしょうか。

ナマケモノのなっちゃん3

いいたいこといっぱい

ナマケモノのなっちゃんは、おはなしをするのがにがてです。

おともだちとおはなしをしようとしても、うまくことばが
でてきてくれません。

だからなっちゃんは、かがみのまえで
おしゃべりのれんしゅうをすることにしました。

「わたしのすきなたべものは、
えーっと、えーっと、みかん、です……」
「すきなあそびは、うーんと、うーんと、おえかき、です」

なっちゃんはかがみをみて、おしゃべりのれんしゅうをして
いましたが、どうにもうまくいきません。

「いいたいことも、おはなししたいこともいっぱいあるのに、
どうしてわたしはおはなしできないんだろう」

なっちゃんのめから、ぽろぽろとなみだがこぼれます。

なっちゃんにはいいたいこともつたえたいことも、
たくさん、たくさんあるのに、
どれもうまくつたえられないのでした。

なっちゃんは、せんせいにおてがみをかくことにしました。

「せんせいへ
　わたしは、じょうずにおしゃべりができません。
　いいたいことも、おはなししたいこともあるのに、
うまくいえないんです」

なっちゃんがせんせいにおてがみをだすと、せんせいが
おへんじをくれました。

「なっちゃんへ

　なっちゃんには、いいたいことがたくさんあるのね。

　なっちゃんは、じょうずにおしゃべりができないといった
けど、

　それをせんせいにおてがみでつたえてくれたよね。

　いいたいことをかみにかいて、それをもとにおはなしする
といいんじゃないかな」

せんせいからのおへんじをみて、なっちゃんは
にっこりわらって、おかあさんにこういいました。
「ねえおかあさん、わたし、ノートがほしいの」

いいたいこと、つたえたいことをかきとめておくノートを
かってもらったなっちゃんは、「これからおともだちに
なにをはなそう」
と、かんがえるのでした。

おしまい

87

なっちゃんには、伝えたいことが沢山あったけど、それをうまく伝えられずに悩んでいました。

自閉症の特徴に、コミュニケーションが上手く取れない、というものがよく挙げられます。

会話がかみ合わなかったり、一方的になったり、受け身すぎたり……。

発達障害当事者の方も、当事者と接する方も、悩むことがあると思います。

お話の中で、なっちゃんは鏡の前で会話の練習をしていました。

ですが上手く言葉が出てこないことを治すのは、きっと至難の業です。

コミュニケーションを取るために、一番お勧めする方法は、「話すことを楽しいと思うこと」です。

話すことが楽しくなれば、「上手く話せない」という悩みも、少しずつ薄れていくのではないかと思います。

もし、話したいことを明確に持っている場合は、なっちゃんのように紙やノートに書くこともいいでしょう。

無理せず、自分のペースで話すことと、それを理解してくれる相手と話すことが大切だと、私は思っています。

きっと、その人その人に合ったやり方があります。

ゆっくり、その方のペースで、見つけていってほしいです。

チーターのちーくん3

たくさんおしゃべり

ちーくんは、じぶんのおはなしをするのがすきです。

「ぼくはかけっこがはやいんだよ」
「おとうさんも、はしるのとってもはやいんだよ」
なんて、じぶんのはなしをたくさんしていたら、
まわりにおともだちがいなくなってしまいました。

おはなしをきいてもらいたいけど、
きいてくれるひとがいない。

「どうしてみんないなくなっちゃったんだろう」
「ぼく、もっともっとおはなししたいのに」
と、ちーくんはかなしくなってきてしまいました。

ちーくんが、ぎゅっとてをにぎったとき。

やさしいえがおのせんせいがやってきて、こういいました。
「せんせい、ちーくんのおはなしたくさんききたいな」
「おはなししてくれる？」

ちーくんはとってもうれしくなって、
ぴょんぴょんとびはねました。

「あのね、せんせい、ちーくん、とってもはやいんだよ！」

「うん、どれくらいはやいの？」

「うんとね、すっごく！ うちゅういち！」

「あら、それはすごくはやいね」

ちーくんとせんせいは、とってもたのしくおはなしをしました。

おしまい

ちーくんは、自分の好きなことを話していると、周りが見えなくなってしまうようでした。

自分のことばかり話してしまうのは、ADHD の方によく見られる「お口の多動」によるものでした。

ちーくんの周りのお友達は、「ちーくんばかり話すから」といったような理由で離れていってしまったのだと思います。

確かに、周りの話を聞かず自分の好きな話だけしているとあまり印象は良くないかもしれません。

ですが、これは決して欠点ではありません。

治さなきゃいけないものではないのです。

周囲の方も当事者の方も、特性を受け入れて、否定しない接し方をすることが、一番の支援になるのではないでしょうか。

当事者の方と一緒に、特性を少しずつ受け入れていくことが重要だと思います。

自閉症うーちゃんのカラフルサイン
キャラクター紹介

うさぎのうーちゃん
自閉症スペクトラム障害の女の子。
感覚過敏（聴覚、触覚）と、
こだわり行動の特性がある。
優しくて、責任感の強い子の
イメージで書きました。

ナマケモノのなっちゃん
自閉症スペクトラム障害の女の子。
コミュニケーションが苦手な特性がある。
心の機微に敏感で、周りをよく見ている子の
イメージで書きました。

チーターのちーくん
ADHD の男の子。
多動・衝動の特性がある。
強くてかっこいいけど、繊細な男の子の
イメージで書きました。

せんせい

うーちゃんのおかあさん

なっちゃんのおねえさん

あとがき

この本を最後まで読んでくださり、本当にありがとうございます。
この本は、発達障害当事者である私が、発達障害について学んでいく中で、
「発達障害の特性を、誰にでもわかる文章にしてみたい」
と思い、書き始めたものです。
特性であるパニックが起きてしまったときなどの対処法や、そのとき当事者は何を考えているかなどを、わかりやすい文章にまとめました。
当事者の方や、当事者を支援する方、発達障害を学びたいと思う方の、ちょっとしたお手伝いができたら幸いです。

自己紹介が遅れましたが、私は高機能自閉症で、高校生の発達障害当事者です。

ここからは裏話になりますが、お話の中に「せんせい」という人物が出てきたと思います。
初めは、対処法を実践してくれるだけのキャラクターのつもりで書いていましたが、今ではかなり思い入れが深くなってきています。
このせんせいはいわゆる「担任の先生」ではなく、学校に通うのが苦手だったり、発達障害だったり……少し難を抱えた生徒のお手伝いをしている、人間の先生です。
そんなせんせいをイメージしながら、もう一度読み返してみるのも楽しいかもしれません。

ここまで読んでくださった皆様、本当にありがとうございます。
この本に関わっていただいた関係者の方々に、感謝を込めて。

では皆さん、またどこかで。

そして最後に小説を置いておくので、良かったら。

彼方、空の向こうへ

僕は、ふっと空を見上げた。

—— なんだか。
なんだか、飛べそうな気がしてしまった。

いや、そんなわけがないだろう。

——

ここは……？

ここは……空だ。

空？ なんだって？

飛んでいる……！？

僕は空を飛んでいるんだ！

——

なんて。
そんなわけはないのだ。

僕は……いつから夢を見ていたんだろう。

でも。

空はとっても広くて。

青くて。

美しかった。

「……飛びたいなぁ」

なんて呟いてみる。

飛べたら、どんなに楽しいだろう。

「──よし」

僕は、家の塗装用のペンキを、倉庫から引っ張り出して。

青と白の色を、部屋の壁に重ねていく。

数時間、掛かったようだが、僕にとっては一瞬のようだった。

部屋は、美しい空の模様になっている。

ここでジャンプすれば、空の上の上……空の彼方へ、旅をしているような感覚になれるのではないか。

と考えたのだ。

さあ、ジャンプ！

── ぴょん。

ちょっとだけ体が浮いて、すぐに着地する。

重力には逆らえないよな。

「飛びたい！ 飛ぶ！」
なんて自分の幼い考えに、自嘲気味に笑ってしまう。

そんな時間が、
そんな自分の感性が。

すごく幸せに感じた。

…… 今度は本当の空を、飛んでみたいなぁ。

終わり

9つの涙、9つの笑顔

あみさんは、できたばかりのこの病院の、できたばかりの思春期精神科に突然やってきました。それから約1年の間に、あみさんにも、彼女の周りの患者さんにも、病院のスタッフにも、泣いたり、笑ったり、怒ったり、本当に色々なことがありました。

この本には、あみさんの作り出したキャラクターが登場する9つの物語が収められていますが、そこでも、誰かが泣いたり、笑ったり、怒ったり、色々なことが起こっています。物語には、彼女が実生活の中で、見たり感じたりしたことが、生き生きと表現されています。

この本の特徴は、「物語」の後に発達障害の当事者でもあるあみさん自身の「解説」が添えられていることです。その中には、「支援の専門家から見れば少し違うような気もするな」と思われる部分もないわけではありません。しかし、あえて学術的な修正は一切提案しないことにしました。高校生のあみさんが自力で考え、そう結論したことで生きづらさを前向きに解決しようとしているという事実は、絵空事ではない当事者の今を表す意味で価値があると思うからです。

物語はどれも、一見ささやかなエピソードが当事者にとっては大きな出来事になりうるのだ、ということが伝わってくる、実感にあふれた魅力的なものです。そして、それと同じくらいその解説には、当事者ならではの問題の解釈や解決法が素直に表現されています。その点で、この物語と解説は著者本来の意図を越えて、世の中の人と共有する意義が見出せるように思います。

9つの章はそれぞれ、その物語で起こる涙や笑顔は当事者の生々しい感覚の表現として、そして解説は彼らの世の中と折れ合う方向性の表れとして、重層的に読み解けるもう一つの物語になっています。この本は、可愛らしい本ですが、決してそれだけの本ではありません。家族や支援者が理解を深めるだけではなく、当事者の方々が勇気を得ることにもきっと役立つのではないでしょうか。

東京さつきホスピタル　発達・思春期精神科（児童精神医学）
遠藤季哉